在中国科学院第十九次院士大会、中国工程院第十四次院士大会上的讲话

（2018年5月28日）

习　近　平

人　民　出　版　社

在中国科学院第十九次院士大会、中国工程院第十四次院士大会上的讲话

（2018年5月28日）

习　近　平

各位院士，同志们，朋友们：

今天，中国科学院第十九次院士大会、中国工程院第十四次院士大会隆重开幕了。这是党的十九大后我国科技界召开的一次盛会。首先，我代表党中央，向大会的召开表示热烈的祝贺！向大家并通过大家，向全国广大科技工作者致以诚挚的问候！

党的十九大提出了新时代坚持和发展中国特

色社会主义的战略任务，描绘了把我国建成社会主义现代化强国的宏伟蓝图，开启了实现中华民族伟大复兴的新征程。实现建成社会主义现代化强国的伟大目标，实现中华民族伟大复兴的中国梦，我们必须具有强大的科技实力和创新能力。

党的十八大以来，我们总结我国科技事业发展实践，观察大势，谋划全局，深化改革，全面发力，推动我国科技事业发生历史性变革、取得历史性成就。

——我们坚持党对科技事业的领导，健全党对科技工作的领导体制，发挥党的领导政治优势，深化对创新发展规律、科技管理规律、人才成长规律的认识，抓重大、抓尖端、抓基础，为我国科技事业发展提供了坚强政治保证。

——我们坚持建设世界科技强国的奋斗目标，健全国家创新体系，强化建设世界科技强国对建设社会主义现代化强国的战略支撑，掌握全球科技竞争先机，在前沿领域乘势而上、奋勇争先，在更高层次、更大范围发挥科技创新的引领作用。

——我们坚持走中国特色自主创新道路，坚持创新是第一动力，坚持抓创新就是抓发展、谋创新就是谋未来，明确我国科技创新主攻方向和突破口，努力实现优势领域、关键技术重大突破，主要创新指标进入世界前列。

——我们坚持以深化改革激发创新活力，推出一系列科技体制改革重大举措，加强创新驱动系统能力整合，打通科技和经济社会发展通道，不断释放创新潜能，加速聚集创新要素，提升国家创新体系整体效能。

——我们坚持创新驱动实质是人才驱动，强调人才是创新的第一资源，不断改善人才发展环境、激发人才创造活力，大力培养造就一大批具有全球视野和国际水平的战略科技人才、科技领军人才、青年科技人才和高水平创新团队。

——我们坚持融入全球科技创新网络，树立人类命运共同体意识，深入参与全球科技创新治理，主动发起全球性创新议题，全面提高我国科技创新的全球化水平和国际影响力，我国对世界科技创新贡献率大幅提高，我国成为全球创新版图中日益重要的一极。

这些年来，在党中央坚强领导下，在全国科技界和社会各界共同努力下，我国科技事业密集发力、加速跨越，实现了历史性、整体性、格局性重大变化，重大创新成果竞相涌现，一些前沿方向开始进入并行、领跑阶段，科技实力正处于从量的积累向质的飞跃、点的突破向系统能力提升的重要时期。

——我们着力推进基础研究和应用基础研究，化学、材料、物理等学科居世界前列，铁基超导材料保持国际最高转变温度，量子反常霍尔效应、多光子纠缠世界领先，中微子振荡、干细胞、利用体细胞克隆猕猴等取得重要原创性突破，悟空、墨子、慧眼、碳卫星等系列科学实验卫星成功发射，500 米口径球面射电望远镜、上海光源、全超导托卡马克核聚变装置等重大科研基础设施为我国开展世界级科学研究奠定了重要物质技术基础。

——我们着力推进面向国家重大需求的战略

高技术研究，超级计算机连续10次蝉联世界之冠，采用国产芯片的“神威·太湖之光”获得高性能计算应用最高奖“戈登·贝尔”奖，载人航天和探月工程取得“天宫”、“神舟”、“嫦娥”、“长征”系列等重要成果，北斗导航进入组网新时代，载人深潜、深地探测、国产航母、大型先进压水堆和高温气冷堆核电、天然气水合物勘查开发、纳米催化、金属纳米结构材料等正在进入世界先进行列。

——我们着力引领产业向中高端迈进，复兴号高速列车迈出从追赶到领跑的关键一步，超超临界燃煤发电、特高压输变电、杂交水稻、海水稻等世界领先，移动通信、语音识别、新能源汽车、第三代核电“华龙一号”、掘进装备等跻身世界前列，集成电路制造、C919大型客机、高档数控机床、大型船舶制造装备等加快追赶国际先进水平，龙门五轴机床、8万吨模锻压力机等装备填补多项国内空白，自主研发的人工智能深度学习芯片实现商业化应用，超导磁共振等医疗器械实现国产化替代，重大传染病防控和疫苗研制、重大新药创制等有力改善民生福祉。

——我们着力完善国家创新体系，国家技术创新中心、国家重点实验室等创新基地形成系统布局，在科技计划管理、成果转化、评价奖励等方面大胆改革，企业创新主体地位和主导作用显著增强，科技创新人才加速集聚成长。

——我们着力推动经济建设和国防建设融合发展，深化国防科技工业体制改革，提高军民协同创新能力，完善军民协同创新机制。

各位院士，同志们、朋友们！

进入21世纪以来，全球科技创新进入空前密集活跃的时期，新一轮科技革命和产业变革正在重构全球创新版图、重塑全球经济结构。以人工智能、量子信息、移动通信、物联网、区块链为代表的新一代信息技术加速突破应用，以合成生物学、基因编辑、脑科学、再生医学等为代表的生命科学领域孕育新的变革，融合机器人、数字化、新材料的先进制造技术正在加速推进制造业向智能化、服务化、绿色化转型，以清洁高效可持续为目标的能源技术加速发展将引发全球能源变革，空间和海洋技术正在拓展人类生存发展新疆域。总之，信息、生命、制造、能源、空间、海洋等的原创突破为前沿技术、颠覆性技术提供了更多创新源泉，学科之间、科学和技术之间、技术之间、自然科学和人文社会科学之间日益呈现交叉融合趋势，科学技术从来没有像今天这样深刻影响着国家前途命运，从来没有像今天这样深刻影响着人民生活福祉。

当前，我国科技领域仍然存在一些亟待解决的突出问题，特别是同党的十九大提出的新任务新要求相比，我国科技在视野格局、创新能力、资源配置、体制政策等方面存在诸多不适应的地方。我国基础科学研究短板依然突出，企业对基础研究重视不够，重大原创性成果缺乏，底层基础技术、基础工艺能力不足，工业母机、高端芯片、基础软硬件、开发平台、基本算法、基础元器件、基础材料等瓶颈仍然突出，关键核心技术受制于人的局面没有得到根本性改变。我国技术研发聚焦产业发展瓶颈和需求不够，以全球视野谋划科技开放合作还不够，科技成果转化能力不强。我国人才发展体制机制还不完善，激发人才创新创造活力的激励机制还不健全，顶尖人才和团队比较缺乏。我国科技管理体制还不能完全适应建设世界科技强国的需要，科技体制改革许多重大决策落实还没有形成合力，科技创新政策与经济、产业政策的统筹衔接还不够，全社会鼓励创新、包容创新的机制和环境有待优化。

中国要强盛、要复兴，就一定要大力发展科学技术，努力成为世界主要科学中心和创新高地。我们比历史上任何时期都更接近中华民族伟大复兴的目标，我们比历史上任何时期都更需要建设世界科技强国！

现在，我们迎来了世界新一轮科技革命和产业变革同我国转变发展方式的历史性交汇期，既面临着千载难逢的历史机遇，又面临着差距拉大的严峻挑战。我们必须清醒认识到，有的历史性交汇期可能产生同频共振，有的历史性交汇期也可能擦肩而过。

形势逼人，挑战逼人，使命逼人。我国广大科技工作者要把握大势、抢占先机，直面问题、迎难而上，瞄准世界科技前沿，引领科技发展方向，肩负起历史赋予的重任，勇做新时代科技创新的排头兵。

第一，充分认识创新是第一动力，提供高质量科技供给，着力支撑现代化经济体系建设。《墨经》中写道，“力，形之所以奋也”，就是说动力是使物体运动的原因。要以提高发展质量和效益为中心，以支撑供给侧结构性改革为主线，把提高供给体系质量作为主攻方向，推动经济发展质量变革、效率变革、动力变革，显著增强我国经济质量优势。要通过补短板、挖潜力、增优势，促进资源要素高效流动和资源优化配置，推动产业链再造和价值链提升，满足有效需求和潜在需求，实现供需匹配和动态均衡发展，改善市场发展预期，提振实体经济发展信心。

世界正在进入以信息产业为主导的经济发展

时期。我们要把握数字化、网络化、智能化融合发展的契机,以信息化、智能化为杠杆培育新动能。要突出先导性和支柱性,优先培育和大力发展一批战略性新兴产业集群,构建产业体系新支柱。要推进互联网、大数据、人工智能同实体经济深度融合,做大做强数字经济。要以智能制造为主攻方向推动产业技术变革和优化升级,推动制造业产业模式和企业形态根本性转变,以"鼎新"带动"革故",以增量带动存量,促进我国产业迈向全球价值链中高端。

第二,矢志不移自主创新,坚定创新信心,着力增强自主创新能力。只有自信的国家和民族,才能在通往未来的道路上行稳致远。树高叶茂,系于根深。自力更生是中华民族自立于世界民族之林的奋斗基点,自主创新是我们攀登世界科技高峰的必由之路。"吾心信其可行,则移山填海之难,终有成功之日;吾心信其不可行,则反掌折枝之易,亦无收效之期也。"创新从来都是九死一生,但我们必须有"亦余心之所善兮,虽九死其犹未悔”的豪情。我国广大科技工作者要有强烈的创新信心和决心，既不妄自菲薄，也不妄自尊大，勇于攻坚克难、追求卓越、赢得胜利，积极抢占科技竞争和未来发展制高点。

实践反复告诉我们，关键核心技术是要不来、买不来、讨不来的。只有把关键核心技术掌握在自己手中，才能从根本上保障国家经济安全、国防安全和其他安全。要增强“四个自信”，以关键共性技术、前沿引领技术、现代工程技术、颠覆性技术创新为突破口，敢于走前人没走过的路，努力实现关键核心技术自主可控，把创新主动权、发展主动权牢牢掌握在自己手中。

建设世界科技强国，得有标志性科技成就。要强化战略导向和目标引导，强化科技创新体系能力，加快构筑支撑高端引领的先发优势，加强对关系根本和全局的科学问题的研究部署，在关键领域、卡脖子的地方下大功夫，集合精锐力量，作出战略性安排，尽早取得突破，力争实现我国整体科技水平从跟跑向并行、领跑的战略性转变，在重要科技领域成为领跑者，在新兴前沿交叉领域成为开拓者，创造更多竞争优势。要把满足人民对美好生活的向往作为科技创新的落脚点，把惠民、利民、富民、改善民生作为科技创新的重要方向。

基础研究是整个科学体系的源头。要瞄准世界科技前沿，抓住大趋势，下好“先手棋”，打好基础、储备长远，甘于坐冷板凳，勇于做栽树人、挖井人，实现前瞻性基础研究、引领性原创成果重大突破，夯实世界科技强国建设的根基。要加大应用基础研究力度，以推动重大科技项目为抓手，打通“最后一公里”，拆除阻碍产业化的“篱笆墙”，疏通应用基础研究和产业化连接的快车道，促进创新链和产业链精准对接，加快科研成果从样品到产品再到商品的转化，把科技成果充分应用到现代化事业中去。

工程科技是推动人类进步的发动机，是产业革命、经济发展、社会进步的有力杠杆。广大工程科技工作者既要有工匠精神，又要有团结精神，围绕国家重大战略需求，瞄准经济建设和事关国家安全的重大工程科技问题，紧贴新时代社会民生现实需求和军民融合需求，加快自主创新成果转化应用，在前瞻性、战略性领域打好主动仗。

第三，全面深化科技体制改革，提升创新体系效能，着力激发创新活力。创新决胜未来，改革关乎国运。科技领域是最需要不断改革的领域。2014 年 6 月 9 日，我在两院院士大会讲话中强调，推进自主创新，最紧迫的是要破除体制机制障碍，最大限度解放和激发科技作为第一生产力所蕴藏的巨大潜能。围绕这些重点任务，这些年来，我们大力推进科技体制改革，科技体制改革全面发力、多点突破、纵深发展，科技体制改革主体架构已经确立，重要领域和关键环节改革取得实质性突破。

2015 年 8 月，党中央、国务院出台《深化科技体制改革实施方案》，部署了到 2020 年要完成的 143 条改革任务，目前已完成 110 多条改革任务。在科技领域存在的多年来一直想解决但没有能解决的难题方面，我们都取得了实质性突破。同时，科技体制改革还存在一些有待解决的突出问题，主要是国家创新体系整体效能还不强，科技创新资源分散、重复、低效的问题还没有从根本上得到解决，“项目多、帽子多、牌子多”等现象仍较突出，科技投入的产出效益不高，科技成果转移转化、实现产业化、创造市场价值的能力不足，科研院所改革、建立健全科技和金融结合机制、创新型人才培养等领域的进展滞后于总体进展，科研人员开展原创性科技创新的积极性还没有充分激发出来，等等。

今年是我国改革开放40周年。新时代全面深化改革决心不能动摇、勇气不能减弱。科技体制改革要敢于啃硬骨头，敢于涉险滩、闯难关，破除一切制约科技创新的思想障碍和制度藩篱，正所谓“穷则变，变则通，通则久”。

要坚持科技创新和制度创新“双轮驱动”，以问题为导向，以需求为牵引，在实践载体、制度安排、政策保障、环境营造上下功夫，在创新主体、创新基础、创新资源、创新环境等方面持续用力，强化国家战略科技力量，提升国家创新体系整体效能。要优化和强化技术创新体系顶层设计，明确企业、高校、科研院所创新主体在创新链不同环节的功能定位，激发各类主体创新激情和活力。要加快转变政府科技管理职能，发挥好组织优势。

企业是创新的主体，是推动创新创造的生力军。正如恩格斯所说："社会一旦有技术上的需要，则这种需要就会比十所大学更能把科学推向前进。"要推动企业成为技术创新决策、研发投入、科研组织和成果转化的主体，培育一批核心技术能力突出、集成创新能力强的创新型领军企业。要发挥市场对技术研发方向、路线选择、要素价格、各类创新要素配置的导向作用，让市场真正在创新资源配置中起决定性作用。要完善政策支持、要素投入、激励保障、服务监管等长效机制，带动新技术、新产品、新业态蓬勃发展。要加快创新成果转化应用，彻底打通关卡，破解实现技术突破、产品制造、市场模式、产业发展"一条龙"转化的瓶颈。

要高标准建设国家实验室，推动大科学计划、大科学工程、大科学中心、国际科技创新基地的统筹布局和优化。要加快建立科技咨询支撑行政决策的科技决策机制，注重发挥智库和专业研究机构作用，完善科技决策机制，提高科学决策能力。要加快构建军民融合发展体系，完善军民融合组织管理体系、工作运行体系、政策制度体系，清除“民参军”、“军转民”障碍。要加大知识产权保护执法力度，完善知识产权服务体系。

2016年5月30日，我在全国科技创新大会、两院院士大会、中国科协第九次全国代表大会上的讲话中强调，要着力改革和创新科研经费使用和管理方式，让经费为人的创造性活动服务，而不能让人的创造性活动为经费服务；要改革科技评价制度，建立以科技创新质量、贡献、绩效为导向的分类评价体系，正确评价科技创新成果的科学价值、技术价值、经济价值、社会价值、文化价值。我们接连出台了几个重要改革方案，包括《关于深化中央财政科技计划（专项、基金等）管理改革的方案》、《关于进一步完善中央财政科研项目资金管理等政策的若干意见》、《关于实行以增加知识价值为导向分配政策的若干意见》、《关于分类推进人才评价机制改革的指导意见》、《关于深化科技奖励制度改革的方案》，得到广大科技工作者热烈欢迎。大家反映，这些改革还有需要改进的地方，有的还没有完全落地，有关部门要认真听取大家意见和建议，继续坚决推进，把人的创造性活动从不合理的经费管理、人才评价等体制中解放出来。

第四，深度参与全球科技治理，贡献中国智慧，着力推动构建人类命运共同体。科学技术是世界性的、时代性的，发展科学技术必须具有全球视野。不拒众流，方为江海。自主创新是开放环境下的创新，绝不能关起门来搞，而是要聚四海之气、借八方之力。要深化国际科技交流合作，在更高起点上推进自主创新，主动布局和积极利用国际创新资源，努力构建合作共赢的伙伴关系，共同应对未来发展、粮食安全、能源安全、人类健康、气候变化等人类共同挑战，在实现自身发展的同时惠及其他更多国家和人民，推动全球范围平衡发展。

要坚持以全球视野谋划和推动科技创新，全方位加强国际科技创新合作，积极主动融入全球科技创新网络，提高国家科技计划对外开放水平，积极参与和主导国际大科学计划和工程，鼓励我国科学家发起和组织国际科技合作计划。要把"一带一路"建成创新之路，合作建设面向沿线国家的科技创新联盟和科技创新基地，为各国共同发展创造机遇和平台。要最大限度用好全球创新资源，全面提升我国在全球创新格局中的位势，提高我国在全球科技治理中的影响力和规则制定能力。

第五，牢固确立人才引领发展的战略地位，全面聚集人才，着力夯实创新发展人才基础。功以才成，业由才广。世上一切事物中人是最可宝贵的，一切创新成果都是人做出来的。硬实力、软实力，归根到底要靠人才实力。全部科技史都证明，谁拥有了一流创新人才、拥有了一流科学家，谁就能在科技创新中占据优势。当前，我国高水平创新人才仍然不足，特别是科技领军人才匮乏。人才评价制度不合理，唯论文、唯职称、唯学历的现象仍然严重，名目繁多的评审评价让科技工作者应接不暇，人才“帽子”满天飞，人才管理制度还不适应科技创新要求、不符合科技创新规律。要创新人才评价机制，建立健全以创新能力、质量、贡献为导向的科技人才评价体系，形成并实施有利于科技人才潜心研究和创新的评价制度。要注重个人评价和团队评价相结合，尊重和认可团队所有参与者的实际贡献。要完善科技奖励制度，让优秀科技创新人才得到合理回报，释放各类人才创新活力。要通过改革，改变以静态评价结果给人才贴上“永久牌”标签的做法，改变片面将论文、专利、资金数量作为人才评价标准的做法，不能让繁文缛节把科学家的手脚捆死了，不能让无穷的报表和审批把科学家的精力耽误了！

创新之道，唯在得人。得人之要，必广其途以储之。要营造良好创新环境，加快形成有利于人才成长的培养机制、有利于人尽其才的使用机制、有利于竞相成长各展其能的激励机制、有利于各类人才脱颖而出的竞争机制，培植好人才成长的沃土，让人才根系更加发达，一茬接一茬茁壮成长。要尊重人才成长规律，解决人才队伍结构性矛盾，构建完备的人才梯次结构，培养造就一大批具有国际水平的战略科技人才、科技领军人才、青年科技人才和创新团队。要加强人才投入，优化人才政策，营造有利于创新创业的政策环境，构建有效的引才用才机制，形成天下英才聚神州、万类霜天竞自由的创新局面！

各位院士，同志们、朋友们！

中国科学院、中国工程院是国家科学技术界和工程科技界的最高学术机构，是科技大师荟萃之地。长期以来，中国科学院、中国工程院团结带领包括院士在内的广大科技工作者，以实现国家富强、民族振兴、人民幸福为己任，着力攻克关键核心技术，破解创新发展难题，在重大科技领域不断取得突破，为我国科技事业发展作出了突出贡献。中国科学院、中国工程院要继续发挥国家战略科技力量的作用，同全国科技力量一道，把握好世界科技发展大势，围绕建设世界科技强国，敏锐抓住科技革命方向，大力推动科技跨越发展，勇攀科技高峰。

中国科学院、中国工程院是国家高端智库。多年来，中国科学院、中国工程院围绕事关国计民生的重大战略问题，紧扣国家发展新战略新形势新需求，组织广大院士开展战略咨询工作，得到了党中央高度认可。我看过两院院士提交的很多意见和建议，都给我留下了深刻印象。要继续发挥院士群体的智力优势，开展前瞻性、针对性、储备性战略研究，提高综合研判和战略谋划能力，提出专业化、建设性、切实管用的意见和建议，为推进党和国家科学决策、民主决策、依法决策，推进国家治理体系和治理能力现代化贡献更多智慧和力量！

各位院士，同志们、朋友们！

“繁霜尽是心头血，洒向千峰秋叶丹。”两院院士是国家的财富、人民的骄傲、民族的光荣。长期以来，一代又一代科学家怀着深厚的爱国主义情怀，凭借深厚的学术造诣、宽广的科学视角，为祖国和人民作出了彪炳史册的重大贡献。祖国大地上一座座科技创新的丰碑，凝结着广大院士的心血和汗水。我们的很多院士都具有“先天下之忧而忧，后天下之乐而乐”的深厚情怀，都是“干惊天动地事，做隐姓埋名人”的民族英雄！

一代人有一代人的奋斗，一个时代有一个时代的担当。荣誉意味着责任和担当，党和人民对广大院士寄予了殷切的期望。科技创新大潮澎湃，千帆竞发勇进者胜。希望广大院士弘扬科学报国的光荣传统，追求真理、勇攀高峰的科学精神，勇于创新、严谨求实的学术风气，把个人理想自觉融入国家发展伟业，在科学前沿孜孜求索，在重大科技领域不断取得突破。

古人说：“人必其自爱也，而后人爱诸；人必其自敬也，而后人敬诸。”希望广大院士善养浩然正气，培育和践行社会主义核心价值观，坚守院士称号学术性、荣誉性的本质，传播真理、传播真知，崇德向善、见贤思齐，言为士则、行为世范，提携后学、甘当人梯，在全社会树立良好道德风尚。要发挥院士制度凝才聚智的导向性作用，不拘一格降人才，使院士制度成为引导我国科技创新人才健康成长的强大正能量！

各级党委和政府对院士们要政治上关怀、工作上支持、生活上关心，当好后勤部长。要做好退休院士工作，保证他们的待遇和礼遇，鼓励他们继续发挥作用。希望退下来的院士们在身体条件允许的情况下，继续在传播科学知识上学为人师、在弘扬科学精神上身体力行，积极为国家发展建言献策、为科技进步贡献智慧。

各位院士，同志们、朋友们！

中国共产党领导是中国特色科技创新事业不断前进的根本政治保证。我们要坚持和加强党对科技事业的领导，坚持正确政治方向，动员全党全国全社会万众一心为实现建设世界科技强国的目标而努力奋斗。各级党委和政府、各部门各单位要把思想和行动统一到党的十九大精神上来，统一到党中央对科技事业的部署上来，切实抓好落实工作。

各级领导干部要加强学习和实践，提高科学素养，既当好领导，又成为专家，不断增强领导和推动科技创新的本领。要尊重科研规律，尊重科研管理规律，尊重科研人员意见，为科技工作者创造良好环境，服务好科技创新。

青年是祖国的前途、民族的希望、创新的未来。青年一代有理想、有本领、有担当，科技就有前途，创新就有希望。“人材者，求之则愈出，置之则愈匮。”希望广大院士关心和爱护青年人才，把发现、培养青年人才作为一项重要责任，为青年人才施展才干提供更多机会和更大舞台。各级党委和政府要以识才的慧眼、爱才的诚意、用才的胆识、容才的雅量、聚才的良方，放手使用优秀青年人才，为青年人才成才铺路搭桥，让他们成为有思想、有情怀、有责任、有担当的社会主义建设者和接班人。

当科学家是无数中国孩子的梦想,我们要让科技工作成为富有吸引力的工作、成为孩子们尊崇向往的职业,给孩子们的梦想插上科技的翅膀,让未来祖国的科技天地群英荟萃,让未来科学的浩瀚星空群星闪耀!

各位院士,同志们、朋友们!

新时代中国特色社会主义的航向已经明确,中华民族伟大复兴的巨轮正在乘风破浪前行,让我们更加紧密地团结起来,坚定信心,攻坚克难,向着建设世界科技强国的伟大目标奋勇前进!

图书在版编目(CIP)数据

在中国科学院第十九次院士大会、中国工程院第十四次院士大会上的讲话/习近平 著. —北京:人民出版社,2018.5
ISBN 978-7-01-019424-0

Ⅰ.①在… Ⅱ.①习… Ⅲ.①习近平-讲话②科技政策-中国 Ⅳ.①D2-0②G322.0

中国版本图书馆 CIP 数据核字(2018)第 110902 号

(RMC-ZJDXI-062-20180528)

在中国科学院第十九次院士大会、
中国工程院第十四次院士大会上的讲话

ZAI ZHONGGUO KEXUEYUAN DISHIJIUCI YUANSHI DAHUI
ZHONGGUO GONGCHENGYUAN DISHISICI YUANSHI DAHUI SHANG DE JIANGHUA

(2018年5月28日)

习 近 平

人民出版社 出版发行
(100706 北京市东城区隆福寺街99号)

北京新华印刷有限公司印刷 新华书店经销

2018年5月第1版 2018年5月北京第1次印刷
开本:880毫米×1230毫米 1/32 印张:1
字数:13千字

ISBN 978-7-01-019424-0 定价:2.60元

邮购地址 100706 北京市东城区隆福寺街99号
人民东方图书销售中心 电话 (010)65250042 65289539